トト《とと》は　ベッド《べっど》の
下《した》に　いました。
「さあ　はやく　にげましょう。」
そのとき、ゴーッ《ごーっ》と　いう　音《おと》と
ともに　いえが　ぐらぐらっと　ゆ
れました。
「キャーッ《きゃーっ》　あららら。」
いえは　たつまきに　まきあげら
れて、空《そら》を　とびつづけます。そし
て　きゅうに　ドスン《どすん》と　おちました。

そとに でて
みると、なんと
きれいな ところでしょう。
小人《こびと》と うつくしい 女《おんな》の人《ひと》が
ドロシー《どろしー》に こえを かけてきました。
「えらい ま女《じょ》さま、わるい ま女《じょ》を やっつけてくださって、ありがとうございます。これで マンチキン《まんちきん》こくは へいわに なります。」
「え？ なんの こと？」

「あなたは、ひがしの
わるい　ま女《じょ》の　上《うえ》に　いえを
おとして　おしつぶしたのです。」
見《み》ると、ぎんの　くつを　はいた
二本《にほん》の　足《あし》が　いえの　下《した》じきに
なっていました。
日《ひ》の　ひかりが　あたると　足《あし》は
きえて、くつだけ　のこりました。
女《おんな》の人《ひと》は　その　まほうの　くつ
を　ドロシー《どろしー》に　はかせました。

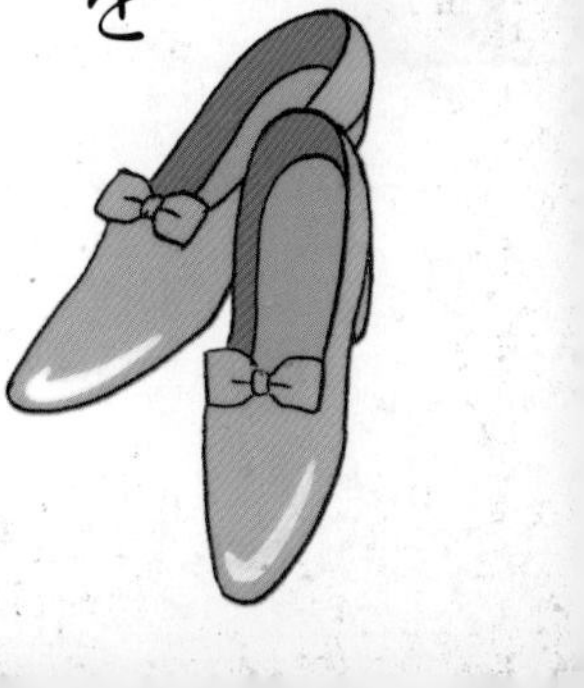

「わたしは　きたのま女《じょ》です。」

「おねがいです。もとの　おうちへ　かえりたいのです。かえる　みちを　おしえてください。」

ま女《じょ》は　ドロシー《どろしー》に　いいました。

「きいろの　みちを　いって、エメラルド《えめらるど》の　みやこに　いる　オズ《おず》の　まほうつかいに　ききなさい。」

「ありがとう、いってみます。」

ドロシー《どろしー》は
人《ひと》びとに　見《み》おくられて
きいろの　みちを　いきました。
とうもろこしばたけに　くると、
「おねがいです。せなかの　ぼうを
はずしてください。」
と、かかしが　たのみます。
ドロシー《どろしー》が　ぼうを　はずすと、
カラス《からす》が　とんできて、アホー《あほー》、ア《あ》
ホー《ほー》と　なきました。

かかしは
くやしそうに、
「ぼくの　あたまには
わらしか　つまっていないので、
カラス《からす》に　ばかに　されるんだ。」
と、なげきました。
「それなら　オズ《おず》の　まほうつかい
に　たのんで、のうみそを　もらい
なさいな。」
かかしを　つれて　あるきます。

しばらく　いくと、
さびた　ブリキ《ぶりき》の
きこりが　立《た》って　いました。
「ウーン《うーん》、ウーン《うーん》、にしのま女《じょ》に
手足《てあし》と　くびを　きられたので、ブ《ぶ》
リキ《りき》やさんに　ブリキ《ぶりき》の　からだを
つくってもらいました。ところが
からだが　さびて　うごけません。」
ドロシー《どろしー》は、ブリキ《ぶりき》に　あぶらを
さしてやりました。

「わあ、うごける。あなたは　しんせつな人《ひと》だ。でも　ぼくには　しんぞうが　ないから　人《ひと》に　しんせつに　できないのです。」

「オズ《おず》の　まほうつかいに　たのめば、しんぞうが　もらえるわ。」

ドロシー《どろしー》は、トト《とと》と　かかしと　ブリキ《ぶりき》を　つれて　あるきます。

ライオン《らいおん》が　とびだして　きました。

ライオン《らいおん》は
かかしと　きこりを
たおし、トト《とと》を　たべようと
しました。ドロシー《どろしー》は　おこって
ライオン《らいおん》の　かおを　ピシャリ《ぴしゃり》と
たたきました。
「大《おお》きい　くせに、小《ちい》さい　ものを
いじめるのは　ひきょうよっ。」
「ウオーン《うおーん》、かみつかないのに、なぐられたあ、ウエーン《うえーん》。」

「ライオン《らいおん》のくせに　よわむしね。」

「ぼく　おくびょうなの。つよいふりを　しているだけなんだ。どうすれば　よわむしを　なおせるの？」

「オズ《おず》の　まほうつかいに　たのむと　いいわ。」

しばらく　いくと、ふかい　たにがみちを　ふさぎました。

「こまったわ、はしが　ない。」

かかしが、　いいました。

「それなら　その木《き》を　たおして　はしに　しましょう。」

　さっそく　きこりが　木《き》を　きりはじめると、　そこへ　かいじゅうカ《か》リ《り》バ《ば》が　おそってきました。ライ《らい》オ《お》ン《ん》は　ゆうきを　ふるいおこして、

「ぼくが、たたかっている　あいだに　みんな　にげなさい！」

みんなが　はしを　わたりおわった　とき、ブリキ《ぶりき》の　きこりが　はしを　おので　きりおとしました。

かいじゅうは　たにそこへ　おちていきました。

「かかしさんの　ちえ、ライオンさんの　ゆうき、きこりさんの　おもいやりの　こころの　おかげね。」

また、たびが　つづきます。

やがて　みんなは、
エメラルド《えめらるど》の
みやこに　つきました。
もんばんは、ドロシー《どろしー》の　くつを
見《み》て　いいました。
「ひがしの　わるい　ま女《じょ》を　たい
じした　ドロシー《どろしー》さま、どうぞ。」
とびらを　あけて、みんなを　オ《お》
ズ《ず》の　まほうつかいの　へやへ　あ
んないしました。

いすの　上《うえ》の　大《おお》きな　くびが　口《くち》を　ききました。

「おまえが　ドロシー《どろしー》か。なんの　ようじゃ。」

ドロシー《どろしー》は、それぞれの　ねがいを　いいました。

「わかった。にしのま女《じょ》を　やっつけてきたら、のぞみを　かなえてやろう。」

「わたしには
ま女《じょ》と　たたかう
力《ちから》なんか　ないわ。」
ドロシー《どろしー》が　いうと、きこりが、
「みんなで　力《ちから》を　あわせれば、な
んとかなりますよ。」
と　はげましました。
にしへ　にしへと　すすみました。
ま女《じょ》は　はなしを　ききつけて、
かんかんに　なって　おこりました。

「空《そら》とぶ　サル《さる》よ、
やっつけてしまえ。」
サル《さる》たちは、かかしや　きこりを
空《そら》から　おとして　こわしました。
ライオン《らいおん》も　あみに　入《い》れました。
ドロシー《どろしー》は　つかまって　ま女《じょ》の
まえに　つれていかれました。
「ドロシー《どろしー》、その　まほうの　くつ
を　よこしなさい。」
「いやです！」

「よせったら。」

ま女《じょ》が　ぬがそうとすると、「あちちち。」

手《て》を　やけどしてしまいました。

ドロシー《どろしー》は　どれいに　されてまい日《にち》　はたらかされました。

ま女《じょ》は　つえで　ドロシー《どろしー》を　つまずかせ、ぬげた　くつを　とりあげました。

「なんて　ひどい　やりかたなの！」

ドロシー《どろしー》は
ま女《じょ》に　水《みず》を
ザブン《ざぶん》と　かけました。
「ギャー《ぎゃー》！」
水《みず》に　よわい　ま女《じょ》は　とけて
きえて　しまいました。
ドロシー《どろしー》は　大《おお》よろこびです。
かかしも、　きこりも　ライオン《らいおん》も
もとどおりに　なって、　ドロシー《どろしー》の
まわりに　あつまりました。

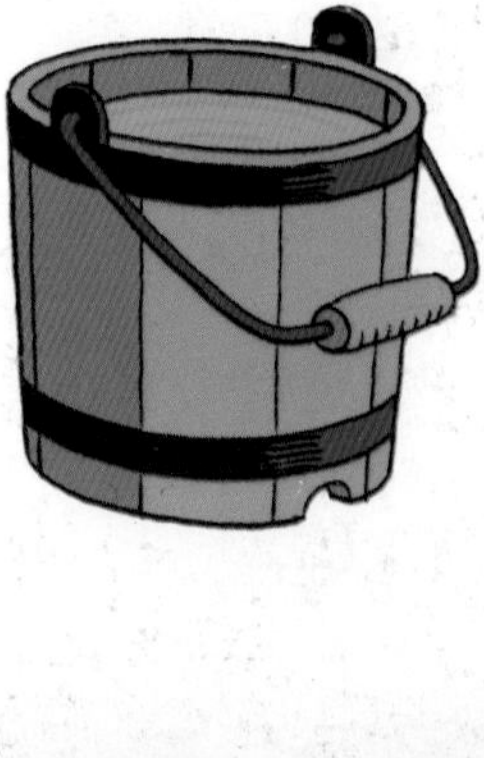

ドロシー《どろしー》たちは
エメラルド《えめらるど》の
みやこに　もどり、オズ《おず》の
まほうつかいに　いいました。
「さあ、やくそくを　はたしてくだ
さい。」
「そんな　やくそく、したかな。」
「なんですって！」
トト《とと》が　カーテン《かーてん》を　ひっぱり、
中《なか》の　おじいさんに　ほえました。

「やあ、 わかって しまったか。 わしが オズ《おず》なのじゃ。」

くびは おじいさんの しかけで した。 おじいさんは、

「わしは 気《き》きゅうで とばされて きたんじゃよ。」

と いって、 ライオン《らいおん》には ゆうきの でる ジュース《じゅーす》、 かかしには おがくずの のうみそを くれました。

BRE

そして　きこりには　きれの　しんぞうを、ドロシー《どろしー》には　かえる　ための　気《き》きゅうを　くれました。

ところが、トト《とと》が　とびだした　ため、ドロシー《どろしー》は　気《き》きゅうに　のりそこなって　しまいました。

きたの　ま女《じょ》が　いいます。

「くつの　かかとを　三《さん》かい　うってごらん。」